한 밤 의 시 간 표

리미티드 스페셜 에디션

별책 부록

SINCE 1976

PURPLERAIN AIRLINES

MNTT

MIDNIGHT TIMETABLE

KOREA
ICN
INCHEON

SINGAPORE
SIN
CHANGI

《한밤의 시간표》 스핀오프 신작 단편

TITLE.

공항 귀신

영국·미국 출간 기념 리미티드 스페셜 에디션 별책 부록

퍼플레인

ABOUT

정 보 라

대학에서 러시아어를 전공하여 한국에선 아무도 모르는 작가들의 괴상하기 짝이 없는 소설들과 사랑에 빠졌다. 어둡고 마술적인 이야기, 불의하고 폭력적인 세상에 맞서 생존을 위해 싸우는 여자들의 이야기를 사랑한다. 지은 책으로는 《저주토끼》《아무도 모를 것이다》《죽음은 언제나 당신과 함께》《작은 종말》《고통에 관하여》《밤이 오면 우리는》《지구 생물체는 항복하라》《너의 유토피아》《아이들의 집》 등이 있다. 1998년 〈머리〉가 연세문화상에 당선되었고, 〈호狐〉로 2008년 제3회 디지털문학상 모바일 부문 우수상, 〈씨앗〉으로 2014년 제1회 SF어워드 단편 부문 우수상을 받았다. 2022년 《저주토끼》로 부커상 국제 부문 최종후보에 올랐고, 2023년에는 전미도서상 번역 문학 부문 최종후보, 2025년에는 필립 K. 딕상 최종후보로 선정되어 주목받았다. 20개국 이상에서 번역되며 전 세계 독자들을 만나고 있다.

목차

PAGE CONTENTS

INTERVIEW

인터뷰

→

환상성이 아니면 표현할 수 없는 것

©혜영

01

《한밤의 시간표》 영역본이 2025년 10월 미국과 영국에서 출간됩니다! 《Midnight Timetable》로 영미 독자들과 만나게 된 소감을 짧게 부탁드립니다. 이 작품의 어떤 점이 현지 독자들에게 인상 깊게 다가갈 것이라고 예상하시나요?

한국의 터널은 무섭다는 점을 널리 알리게 되리라고 생각합니다. 번역가 안톤 허 선생님이 번역 작업 과정에서 터널 부분이 너무 무섭다고 저한테 불평하셔서 내심 '성공했다' 하고 기뻐했습니다!

02

귀신 소설을 써달라 요청받으셨을 때 어떻게 연구소라는 공간을 떠올리셨나요? 연구소는 귀신과 굉장히 동떨어진, 과학과 이성으로 가득 찬 공간으로 보이기도 합니다. SCP*나 나폴리탄 괴담 같은 서브컬처의 영향을 받으셨는지도 궁금합니다.**

서브컬처를 아주 좋아하긴 합니다만, 아마도 코로나 시기 학교의 모습이 저도 모르게 마음에 깊이 남았던 것 같습니다. 학생들과 선생님들이 북적북적하게 돌아다니는 학기 중 수업 시간대의 학교와 텅 빈 학교는 분위기가 전혀 다릅니다. 그것도 방학 같은 정상적인 이유가 아니라 팬데믹이라는 불안하고 무서운 이유로 인해 학교에 아무도 없고 복도가 텅 빈 채 강의실 문만 줄줄이 이어지는 장면이 저에게 굉장히 으스스하게 보였던 모양입니다.

* 세계 각지의 초현실적 존재를 대중에게 새어 나가지 않도록 비밀리에 확보(Secure), 격리(Contain), 보호(Protect)하는 목적을 지닌 가상의 재단 SCP가 관리하는 변칙적 존재를 통칭한다.

** 일본풍 경양식 스파게티인 '나폴리탄'을 소재로 화제를 모은 일본의 인터넷 괴담으로 '공포의 나폴리탄(恐怖のナポリタン)'이라는 제목으로 알려져 있다. 현재는 사건의 전말을 밝히지 않는 규칙 형식의 괴담을 부르는 용어로 굳어졌다.

03

《한밤의 시간표》에 등장하는 인물들에겐 각자 비밀과 사연이 있습니다. 글을 쓰실 때 가장 재미있었거나 애착이 가는 인물이 있다면 누구일까요?

부소장님이 저하고 연령도 비슷하고 여성이라서 애착이 많이 갑니다. 제가 타로점 같은 걸 좋아해서 길에서 타로점 부스가 보이면 종종 들르곤 했는데, 한번은 실제로 한 손의 네 손가락이 없는 분께 점을 본 적이 있습니다. 그분은 굉장히 수줍음이 많고 말씀이 서툴렀는데, 점술에 관심이 있다기보다는 장애를 지닌 채로 생계를 이으려다 보니까 대학가 앞에서 타로 부스를 여신 듯했습니다.

한편 한국의 여성 노숙인 현황에 관한 기사를 읽은 적이 있습니다. 노숙인 쉼터 자체가 부족하고 코로나 시기에 문을 닫은 곳도 많은데 여성 노숙인 쉼터는 더더욱 부족하다고 합니다. 여성 노숙인들은 가정폭력으로 인해 아이를 데리고 거리로 도망친 경우가 많은데, 아이와 함께 몸을 피할 수 있는 쉼터는 거의 없습니다. 게다가 거리에 있으면

당장 물리적 폭력과 성폭력에 쉴 새 없이 노출되기 때문에 여성 노숙인들은 머리를 짧게 깎고 남자 옷을 입어 자신이 여성이라는 사실을 숨기려고 합니다. 그러다 보니 여성 노숙인의 존재 자체가 눈에 잘 띄지 않고, '여성은 노숙인이 없다'고들 생각하지요. 그 결과 여성 노숙인 정책이나 보호막이 부족해지고, 여성 노숙인은 더욱 위험에 처하고, 그러면 여성 노숙인들은 살아남기 위해서 여성이라는 사실을 숨기고, 폭력을 당해도 어디에 말할 곳도 없고, 다시 여성 노숙인의 특성을 고려한 정책이 없어지는 악순환이 이어집니다. 이런 현실을 반영하고 싶었습니다.

04

《한밤의 시간표》를 읽다 보면, 연구소의 존재들이 사회에서 배척당하는 소수자(장애인, 퀴어)에게는 굉장히 포용적인 데 비해 우리 사회가 묵과하는 가해자(가정폭력 가해자, 폭력적인 가부장)를 의도적으로 배척하고 있다는 느낌을 받습니다. 후자가 굉장히 이질적으로 묘사되는 편이기도 하고요. 제가 이 작품에서 가장 좋았던 점 중 하나는 성소수자 '찬'과 시각장애인 '선배'가 아무렇지 않게 연구소의 직원으로 스며들어 있다는 점이었어요. 이러한 캐릭터 설정과 연출은 의도하신 걸까요?

처음에 《한밤의 시간표》를 구상하게 된 이유가 선천적 시각장애인은 조현병 발병률이 지극히 적다는 기사를 보았기 때문이었습니다. 조현병의 원인은 아직 딱 집어 말할 정도로 명확하지 않지만, 이 연구에 따르면 인간이 자신이 보고 있는 현실과 자신이 생각하는 현실이 맞지 않을 때 없는 장면을 만들어서라도 자기가 생각하고 믿는 현실에 맞추고자 하면서 조현병이 발생한다고 합니다. 그런데 선천적 시각장애인은 시각에 의존하지 않으므로 없는 장면을

만들어 내지 않으니, 조현병이 발병하지 않는다는 겁니다. 그 기사에 나온 연구는 실험군이 너무 작아서 100% 신뢰할 수는 없었습니다만, 인간의 감각이 얼마나 불완전한지 생각해 보게 하는 기사였습니다. '장애'의 의미에 대해서도 다시 생각하게 되었고요. 그래서 '선배' 캐릭터를 처음 만들었는데 제가 시각장애인이 아니다 보니까 아무래도 구체적인 묘사에는 한계가 있었습니다. 그래서 제가 같이 데모도 하고 행진도 하고 발언도 많이 들었던 다른 분들의 삶을 생각하면서 여러 캐릭터를 더 만들어 보았습니다.

©혜영

05

《한밤의 시간표》의 각 단편은 여러 사회 의제를 담고 있습니다. 이를테면 〈여기 들어오시면 안 됩니다〉는 성소수자 인권 담론과 장애인 노동자 담론을, 〈양의 침묵〉과 〈고양이는 왜〉는 교제폭력과 가정폭력을, 〈푸른 새〉는 국가폭력과 난민 차별 문제를 다룹니다. 작가님께서는 글쓰기 외에도 노동 운동과 인권 운동을 활발히 하시는 것으로도 유명한데, 투쟁 중인 의제들을 소설에서 전면적으로 다루기로 결심하신 계기가 있는지 궁금합니다.

〈푸른 새〉는 작가의 말에도 썼듯이 인터넷에서 발견했으나 다시 찾을 수 없게 된 신라 시대 기록에서 영감을 얻었는데요. 가야 유민 이야기가 나와서 깜짝 놀랐습니다. '유민'이라고 원문에 나와 있었지만 사실 난민이고, 이야기 전개는 난민 차별에 대한 복수극이었습니다. 지금은 우리가 '사회적 의제'라고 말하지만, 사람이 사람을 차별하고 자신이 가진 사회적 혹은 정치적 권력을 활용해서 괴롭히는 일은 오래전부터 있어 왔고, 신분제가 공고하던 몇백 년 전 세상에서도 사람들은 그런 괴로운 일에 분노하고 기

록했다는 점을 다시 생각하게 되었습니다. 그래서 저도 조상의 얼을 이어받아 나쁜 놈들에 대해 분노하고 기록해야 한다고 생각합니다.

06

《한밤의 시간표》 외에도 퍼플레인에서 출간한 《아무도 모를 것이다》 《죽음은 언제나 당신과 함께》 《작은 종말》은 '정보라 환상문학 단편선'이라는 부제가 붙었습니다. 작가님께서 생각하시는 '환상성'이란 무엇인가요? 현실과 환상을 오가는 작가님만의 독특한 글쓰기 방식에 관해 설명해 주실 수 있으실까요?

환상적인 요소를 넣으면 이야기가 재미있어지고 풍부해진다고 생각합니다. 그리고 현실과는 정반대 방향으로 줄거리가 전개되거나 현실에서 결단코 일어날 수 없는 일들이 일어나면 오히려 현실에 대해서 다시 생각해 보는 계기가 될 수도 있고요.

특히 현실에서 상처 입은 사람들, 예를 들면 《한밤의 시간표》의 '찬'처럼 신체적으로나 정신적으로 심한 차별과 학대를 겪어 현실이 무너지는 경험을 해본 사람들에게는 현실이 더 이상 객관적이고 단단한 바탕이 될 수 없다는 절망감이 있습니다. 이런 절망감은 환상성이 아니면 표현할 수 없습니다.

07

《한밤의 시간표》에는 "더 묻지 않았다" "말하지 않았다" "없는 척, 모르는 척해야 한다"는 문장이 굉장히 자주 등장합니다. 작가의 말에서 "공포 이야기나 괴담이 무서운 이유는 알 수 없는 것, 사람이 완전히 이해할 수 없는 세계에 대해서 다루기 때문"에 무섭다고 말씀하시기도 하셨고요. 《한밤의 시간표》처럼 하나의 세계관을 공유하는 이야기들을 쓰실 때 어디까지 세계관을 확정하시는지 궁금합니다. 이야기를 쓰면서 계획에는 없었던 각종 요소를 덧붙이기도 하시나요? 머릿속에서 '이 이야기의 해설은 이렇다'고 단정 지으시는지, 그것도 아니면 작가인 본인조차 미지의 세계로 남겨두는 부분이 있는지도 궁금합니다.

언제나 이야기를 쓰다 보면 여러 가지 요소들이 튀어나옵니다! 자연스럽게 불쑥불쑥 튀어나와서 이야기가 이야기를 쓰는 것이 제일 즐겁고 완성도 면에서도 가장 좋은 경우입니다. 그렇지 않을 때는 제가 여러 가지로 궁리를 해서 이야기를 끌어가기도 합니다. 그러나 저도 한 인간일 뿐이고 제가 모르는 일들이 세상에는 많이 있기에 이야기의 해설을 한 방향으로 단정 짓지는 않습니다.(그러면 재미

없어요!) 언제나 제가 모르는 부분들이 남아 있습니다. 그리고 독자님들이 그런 부분을 찾아내시거나 자신의 해석을 제안하실 때 굉장히 즐겁고 기쁩니다.

08

좋아하는 작가가 어떤 작가와 책을 좋아하는지 궁금해지는 건 팬으로서 어쩔 수 없는 일 같습니다. 작가님께서 특히 좋아하는 작가와 작품이 있는지, 그리고 어떤 이유로 좋아하는지 궁금합니다. 그 작품이 작가님 글쓰기에 어떤 영향을 미쳤는지도요!

폴란드 작가 브루노 슐츠(Bruno Schulz, 1892~1942) 단편집을 번역하면서 꿈결 같은 묘사와 몽환적인 줄거리 전개에 깊은 영향을 받았습니다. 러시아 작가 안드레이 플라토노프(Andrei Platonov, 1899~1951)의 작품들을 읽으면서 역시 철학적이고 비현실적인 장면이나 줄거리 전개 그리고 인간의 한계에 슬퍼하는 비극적 관점에 굉장히 깊은 인상을 받았습니다. 그리고 문체 면에서는 러시아 여성작가 류드밀라 페트루셰프스카야(Lyudmila Petrushevskaya, 1938~)의 희비극이 얽히며 정신없이 와르르 쏟아내는 수다스러운 문체를 아주 좋아해서 저도 비슷하게 써보곤 합니다.

©혜영

09

부소장님을 배경으로 한 스핀오프 단편을 집필해 주셨습니다. 이 단편을 써야겠다고 마음먹은 계기가 있다면 무엇일까요? 독자들이 《한밤의 시간표》를 읽은 뒤 스핀오프 단편을 읽었을 때 어떤 새로운 재미를 느낄 수 있을지도 궁금합니다.

해외 출장길에 외국 공항의 갓 개장한 터미널에 간 적이 있습니다. 한밤중에 도착해서 비행기를 갈아타려고 탑승구를 찾아가는데 새 터미널이 너무 넓더라고요. 게다가 이제 막 개장해서 상점들이 아직 입점도 안 했고 무빙워크에서는 전혀 알 수 없는 외국어로 똑같은 안내 멘트가 반복되고 있었죠. 컴컴하고 아무도 없고 어마어마하게 넓은 터미널을 아무리 가도가도 끝이 없는 것만 같았습니다. 무섭기도 하고 한편으로는 굉장히 흥미진진했던 경험이었습니다.(저는 안전하게 무사히 탑승구를 찾았습니다.)

또 몇 년 뒤에 싱가포르 작가 축제에 갔을 때 싱가포르 창이 공항이 2차 세계대전 당시 일본군이 포로수용소로 쓰던 곳이라서 지금도 귀신이 많이 나온다는 이야기를 들었습니다. 한국인으로서 너무나 잘 이해되는 이야기라서 언젠가 소설에 써야겠다고 생각했습니다. 공항은 현대적이고 화려하고 여행의 설렘으로 들뜨는 곳 같지만, 인적이 없어지고 불이 꺼지고 나면 완전히 다른 모습이 됩니다. 그런 이야기를 쓰고 싶었습니다.

10

소설은 시대와 함께 호흡하며 때에 따라 의미가 변하기도 합니다. 퍼플레인에서 출간하신 네 종의 단편소설집(《아무도 모를 것이다》《죽음은 언제나 당신과 함께》《작은 종말》《한밤의 시간표》)에 수록된 단편 중, 지금 바로 이 시기에 가장 독자님들께 추천하고 싶은 단편이 있다면 무엇인지 궁금합니다.

《작은 종말》에 수록된 〈도서관 물귀신〉이 어떨까 합니다. 도서관은 검증된 지식의 보관소이고 사람의 자연스러운 지식 욕구, 인간 본래의 호기심, 탐구 정신, 재미있는 이야기에 대한 욕구와 상상력의 결실이 모두 모인 장소입니다. 그리고 한국 도서관은 대부분 운영과 관리가 아주 잘 되는 편으로, 사서 선생님들이 책과 지식의 분류와 활용법에 관한 실력을 탄탄하게 갖추어 장서 수준도 높고 독서 모임이나 행사를 굉장히 충실하게 운영하고 계십니다.

〈도서관 물귀신〉은 그런 한국의 훌륭한 도서관 체제를 깔보며 사서를 비정규직으로 고용하고 도서관을 자본주의 논리에 따라 운영하려 드는 관련 부서와 정책들을 비꼬기 위해서 썼습니다. 지난 정권 시기에 쓴 단편이라는 점도 참고해 주시면 좋겠습니다. 새 정부에서는 도서관과 문화, 지식 분야에 '홍수 같은' 지원이 쏟아져 들어가기를 기원합니다.

SPIN-OFF

공항 귀신 →

《한밤의 시간표》 스핀오프 신작 단편

꿈을 꾼다. 복도는 어둡다. 소리가 들린다. 누군가 같은 말을 끊임없이 되풀이하고 있다. 높은 음색의 낭랑한 여자 목소리. 노래하듯 어조가 바뀐다. 외국 말이다. 무슨 뜻인지 알아들을 수 없다. 알아들을 수 있다. 위험하다. 주의해야 한다. 안전을 위해……. 연약한 녹색 신호의 불빛 옆을 지나 어둠 속으로 걸어 들어간다. 땅이 움직인다. 어둠 속에서 땅이 움직여 자신을 싣고 간다. 손잡이를 잡는다. 이 복도가 끝나는 곳에

……그리고 잠에서 깬다.

- 가야겠네.

양이 말한다.

"가야겠지."

수駿가 동의한다.

밤의 공항은 낮과는 다른 모습으로 변한다. 사람이 별로 없다는 것만으로도 같은 장소가 이렇게까지 달라질 수 있다는 것이 수는 가끔 놀랍다.

물론 공항에는 밤이 없다. 하늘로 날아가기 위한 시설이지만 공항 건물 안은 천장과 벽으로 단단히 둘러싸여 해도 달도 보이지 않는다. 언제나 불이 환하게 켜져 있고 언제나 비행기가 이륙하고 착륙하고 직원과 승객과 직원도 승객도 아닌 사람들이 바쁘게 혹은 무료하게 돌아다닌다.

그러다 밤이 오면 면세점과 음식점 등 상점들이 문을 닫는다. 일부 직원들이 퇴근한다. 밤의 거리는 어둡고 고요하지만 밤의 공항 복도는 적막하고 밝다. 하얀 조명, 잠들지 못하고 움직이는 기계들의 메아리가 천장과 벽에 언제나 떠돌고 있다. 수는 보안 검색대를 나와서 그렇게 쓸쓸하고 하얀 복도를 따라 탑승구로 향한다.

"이번엔 또 어디로 가?"

수가 출장 일정을 알리면 딸이 언제나 하듯이 물었다.

"동남아시아."

수는 짧게 대답한다. 이것은 의외로 대단히 상세한 답변이다.

남쪽. 북쪽. 수는 이런 식으로만 대답했다. 목적지가 어디인지는 딸에게조차 자세히 말해줄 수 없다.

"그러다 무슨 일 생기면 어떡하라고? 어디로 연락해야 돼?"

처음에 딸은 항의했다. 수는 중개인의 연락처를 알려주었다. 그리고 말했다.

"갔다 와서 얘기해줄게."

"얘기 안 해줘도 돼. 난 귀신 얘기 싫어."

딸이 눈살을 찌푸린다. 그리고 다시 걱정한다.

"엄마 핸드폰도 안 터지고 어디 있는지도 모르는데 나 진짜 속 터져서 못 살아. 이 일 계속 해야 돼? 내가 취직했잖아. 나랑 같이 편하게 살면 되잖아."

수는 딸을 다독인다.

"양이 있으니까 괜찮을 거야."

그리고 수는 발 옆을 내려다본다. 양은 자기가 오고 싶을 때만 온다.

그러니까 실제로 괜찮을지는 알 수 없다. 수도, 그리고 양도 모르는 일이다.

공항 괴담은 의외로 흔하지 않은 편이다. 일단 언제나 사방이 밝고, 승객 입장에서는 고작 몇 시간 머무르는 동

안 다른 승객이나 직원 등 사람이 항상 주변에 있다. 직원 입장에서는 괴담을 알더라도 함부로 입 밖에 내고 싶지 않을 것이다. 불길하기 때문이다. 그리고 만약에 실제로 사고가 있었다면 흥미 위주로 괴담을 떠벌리는 것은 피해자와 유족들에게 큰 결례이기도 하다.

그러나 공항에서 일하는 사람들 사이에는 언제나 괴담이 떠돈다. 역설적이게도 공항이 24시간 열려 있는 장소이기 때문이다. 환하게 불이 켜진 아무도 없는 복도에서 사람의 발소리가, 혹은 말소리가. 아무도 없어야 할 구석에 사람의 형체가, 그림자가. 벽을 통과하는 사람을 보았다는 이야기, 특정 화장실에는 귀신이 나오니 들어가지 말라는 이야기.

수는 그런 이야기들이 떠도는 곳으로, 공항 귀신을 만나러 간다.

복도는 새까맣다. 아무리 개장 전이라도 공항이 이렇게까지 어두운 모습을 수는 본 적이 없다. 수는 어깨에 걸치고 있던 작은 가방에서 휴대용 손전등을 꺼낸다. 이럴 때 쓰려고 언제나 가지고 다니는 물건이다. 가방을 행여나 떨어뜨리지 않도록 어깨끈을 몸통에 사선으로 걸쳐 가방 부분이 허리춤의 손 닿는 곳에 딱 맞게 붙어 있도록 조절해 두었다.

“19세기에 유럽 사람들이 들어오면서 대대로 우리 왕족의 무덤이 있었던 곳을 군사기지로 만들었어요.”

공항 운영사 직원이 설명한다. 수는 외국식 발음이 섞인 한국어가 낯설다. 그러나 수의 외국어 실력에 비하면 공항 직원의 한국어 실력은 완벽에 가깝다.

수는 고개를 끄덕인다. 사방이 너무 깜깜한 데다 직원은 수의 앞에서 걸어가고 있다. 그러니까 수가 끄덕이는 모습은 직원에게 보이지 않았을 것이다. 직원은 크게 마음 쓰지 않는 듯하다. 수도 굳이 소리 내어 답하지 않는다.

흔한 이야기라고 수는 생각한다. 침략자는 하나같이 현지인의 역사와 문화와 언어를 말살하고 싶어 한다. 현지인들은 왕도 빼앗기고 왕릉도 빼앗겼다. 이제 이 나라는 대통령이 통치한다. 현지 사람들은 국민이 아니라 시민이 되었다. 왕조의 역사는 교과서에나 등장하는, 연도와 함께 외워야 할 이름들의 연속일 뿐이다.

“2차 세계대전 때에는 점령군이 그 군사기지 한쪽에 포로수용소를 지었어요. 거기 발 조심하세요.”

직원이 주의를 준다. 녹색 동그라미가 까만 어둠 속에서 소리 없이 반짝이는 것처럼 보인다. 수는 흠칫 놀라며 발밑을 비춘다. 무빙워크다. 손전등 불빛에 비춘 무빙워크가 보이자 비로소 조용한 진동이 느껴진다. 수는 조심스럽게 무빙워크 위에 발을 올린다.

직원은 젊은 여성이다. 하얀 와이셔츠에 짙은 색 바지 정장을 깔끔하게 입었다. 앞서가는 직원의 발걸음에 맞춰 손에 든 손전등 불빛이 조금씩 흔들린다. 직원은 정중하고 사무적이다. 검은 눈이 진지하고 한국어로 짧게 설명할 때 외에는 입을 꼭 다물고 있어서 무슨 생각을 하는지 잘 알 수 없다. 부드러운 소재의 신발을 신었는지 발소리가 전혀 울리지 않는다. 새까만 어둠 속에서 수는 설명에 귀를 기울이며 직원을 놓치지 않기 위해 앞에 떠가는 작고 노란 불빛을 허둥지둥 따라간다.

"브리핑 이미 다 받으셨지요? 4터미널 공사 도중에 사람 시신이 대량으로 발견됐어요. 위령제를 지냈어요. 우리는 종교 많아서, 세 가지 방식으로요. 그래도 개장 전에 다시 한번 점검이 필요해요. 여기예요."

직원이 걸음을 멈춘다. 수는 아직 개장하지 않은 새 터미널 안을 손전등으로 여기저기 비추어 본다. 그 순간 갑자기 마법처럼 불이 켜진다. 우웅, 하고 기계 작동하는 소리가 벽과 바닥을 울린다. 방금 지나온 무빙워크에서 녹음된 여자의 목소리가 높은 음조로 낭랑하게 안내 사항을 읊기 시작한다. 수는 그 내용을 알아들을 수 없다. 그러나 그 목소리와 어조는 왠지 낯설지 않다.

"아뇨, 저기 불은 안 켜주셔도……."

수가 당황한다. 말을 마치기도 전에 바로 불이 꺼진다. 눈앞을 뒤덮었던 새하얀 빛에 이어 새까만 어둠이 덮치자 수는 더욱 당황한다. 손전등으로 직원이 있을 만한 곳을 여기저기 비춘다.

"이쪽이에요."

직원이 말한다. 작고 노란 불빛의 원이 하얀 벽의 한 지점을 가리킨다. 수는 그 목소리와 불빛을 따라 고개를 돌린다.

"조명 스위치가 이쪽에 있어요. 작업이 끝나면 불을 반드시 꺼주세요."

직원이 사무적으로 말한다. 직원이 손전등으로 불빛을 비추는 지점의 하얀 스위치 패널이 그제야 눈에 들어온다. 벽 색깔과 완전히 똑같은 색의 스위치 패널을 설치한 데는 그럴 만한 이유가 있겠지만 지금 수에게는 혼란스러울 뿐이다. 수가 스위치 패널로 다가가자 직원이 들고 있던 손전등을 내린다. 사방이 다시 깜깜해진다.

수가 손전등을 들어 벽을 비춘다. 벽은 매끈하고 하얗다. 방금 보았던 스위치 패널을 찾을 수 없다.

"저기, 스위치 다시 좀 비춰주시겠어요?"

수가 묻는다.

대답이 없다. 수는 작은 손전등으로 사방을 비추어 본다. 직원은 어느새 사라졌다. 수는 새까맣고 넓은 낯선 어둠 속에 혼자다.

수는 깊이 숨을 들이쉰다. 기다려본다. 수는 혼자가 아니다. 기다려보면 알게 될 것이다.

어둠 속에서 소리 없이, 말이 나타났다.

자세한 이야기는 브리핑에서 들었다. 인골이 대량으로 발견된 것은 4청사 공사 때가 처음이 아니다. 이 주변은 땅을 팔 때마다 사람 시체가 나온다.

애초에 수백 년간 무덤이었기 때문이다. 왕릉에는 왕만 혼자 묻히지 않는다. 왕의 배우자도, 자손들도 죽으면 왕릉에 묻힌다. 왕의 친척들도 마찬가지다.

왕족과 혈연이 없어도 웬만큼 권력 있는 귀족이면 왕릉에 최대한 가까이 무덤을 쓰고 싶어 했다. 그럴 만하다고 수는 생각했다. 살아서 권력을 누렸던 자들은 죽어서도 권력에 최대한 가까이 있고 싶었을 것이다. 그 후손들에게는 왕릉 옆에 있는 조상의 무덤을 찾아가는 것 또한 권력을 과시하는 수단이 되었을 것이다.

브리핑 담당 직원은 매우 유창한 한국어를 구사했다. 오래된 그림과 사진들을 화면에 차례차례 비추며 왕릉이었을 때의 모습과 유럽인들이 식민지의 군사기지로 바꾸어 버린 모습을 보여주었다. 왕릉은 컸다. 계단식으로 묘비가 층층이 솟아 있고 그 사이사이에 이국적인 나무들이 가지를 뻗고 그늘을 드리우고 있었다. 장엄한 매력을 뽐내는 묘비 위에 화사한 꽃이 가득 달린 나뭇가지가 덮여 있는 그림도 있었다.

"이렇게 아래쪽에 있거나 나무에 가려져 있는 건 대부분 귀족들의 무덤입니다. 왕과 왕족의 무덤은 훨씬 더 위에 있습니다."

귀족들이 왕과 그 가족의 발치에 묻혔다는 사실이 수는 조금 재미있었다. 브리핑 담당 직원이 슬라이드를 넘겼다.

"군사기지입니다."

색조라고는 황갈색, 검은색, 흰색밖에 없는 흐릿한 사진 속에서 제복을 입고 장총을 어깨에 멘 유럽인들이 서 있었다.

"저 사람들 묘비 위에 올라서 있는 거예요?"

수가 물었다. 브리핑 담당 직원이 고개를 끄덕였다.

"그렇습니다."

그리고 건조하게 다음 슬라이드를 보여주었다. 귀족들의 묘가 있는 곳에서 나무를 베어내는 사진, 그 다음 슬라이드는 묘비 위에 옛날 서양식 대포를 올려놓은 모습이었다. 역시나 옛날 유럽 어느 나라의 제복을 입은 백인들이 총을 들고 대포 옆에 자랑스럽게 서서 웃고 있었다. 수가 다시 입을 열기 전에 브리핑 담당 직원이 다음 슬라이드를 화면에 비추었다. 현재 공항 부지에 옛 왕릉 자리를 표시한 지도였다. 슬라이드를 넘기며 브리핑 담당 직원이 설명했다.

"옛 군사기지가 있던 자리 지도까지 합치면 이렇습니다. 이 갈색 선이 유럽인들의 군사기지, 파란 선이 2차 세계대전 당시 군사기지입니다. 여기 빨간 부분이 포로수용소입니다."

수는 주의 깊게 들여다보았다.

"자료는 전부 메일로 보내드리겠습니다. 혹시 질문 있으십니까?"

담당 직원이 물었다. 물론 질문이 있었다.

"살아 있는 사람이나 동물을 권력자의 시신과 함께 매장하기도 했나요?"

수가 물었다. 브리핑한 직원은 살짝 눈살을 찌푸리며 고개를 저었다.

"여기는 순장하는 전통이 없습니다. 우리는 억울한 죽음을 일부러 만들지 않습니다."

직원이 짧게 설명했다. 다행이라고 생각하며 수는 안도했다.

이어서 직원은 심각한 말투로 건조하게 덧붙였다.

"그랬다간 반드시 귀신 나옵니다."

옳은 말이라고, 수는 동의하며 혼자 속으로 웃었다.

아시아인들은 귀신을 믿는 것을 부끄러워하지 않는다. 오히려 자기 나라 귀신 얘기를 은근히 자랑스러워하는 것이 아시아 문화의 특징 같다고, 수는 여러 나라 사람들을 만나면서 추측하게 되었다. 화장실 천장에서 물이 자꾸 샌다거나 아무도 없는 복도에서 말소리가 들린다는 이유로 의뢰를 받는 경우에 수는 현장에 가보기도 전부터 안심했다. 대부분 배관이 잘못되었거나 벽이나 천장의 빈 공간으로 소리가 울리고 퍼지기 때문에 생기는 물리적인 문제였다. 이런 현상을 공항 운영사 쪽에 조리 있게 설명하기 위해서 수는 배관 설비와 환기장치 구조를 공부하기까지 했다. 일반 승객들이 출입할 수 없거나 평소에 사용하지 않는 외진 공간에 사람의 모습이 보였다면 십중팔구 다른 직원이 드나드는 모습을 멀리서 언뜻 보고 놀란 것이다.

시신이 나왔다면 상황이 달라진다. 4청사 부지에서 발견된 시신들은 점령군의 군복을 입고 있었다. 이 사실이 언론 보도를 통해 해당 국가 안에서 널리 알려졌다. 현지 사람들이 2차 세계대전의 원인과 전개, 강제점령, 강제징용, 포로수용소 등 역사적인 상처에 다시 뜨거운 관심을 보이며 여러 가지 의견들을 내놓았다. 유해 신원 감정이 시작되자 현지 언론은 진행 과정을 매일같이 자세하게 보도했다. 여기서부터 복잡해졌다.

유해는 다양한 인종이 섞여 있었다. 사람 사는 곳이 다 그렇듯이 아시아도 원래 수많은 민족들이 서로 다른 언어를 사용하고 서로 다른 종교를 믿으며 오고 가고 섞여 살았으니 그 자체는 이상한 일이 아니다. 4청사 부지에서 발견된 유해 중에도 현지에서 오래 전부터 토박이로 살아왔던 여러 민족들이 섞여 있었다. 그리고 점령국 혈통을 가진 사람의 유해도 발견되었다.

그러자 한때 점령국이었던 나라가 자국민 유해 반환을 요구했다. 그것은 당연한 일이었다. 그런데 과거 점령국은 현지 정부가 비용과 절차 등을 책임지고 유해의 신원을 밝혀 유가족에게 돌려보내되, 실제 유해 감정은 자신들이 지정하는 다른 나라 기관에서 진행해야 한다고 주장했다. 현지 정부는 자국 기관에서 신원 감정을 진행하고 유해 송환 비용은 과거 점령국이 부담해야 한다고 반론했다. 굳이 침략해서 강제점령을 하지 않았다면 과거 점령국의 국민이 세기가 바뀐 뒤에 이 먼 나라에서 학살 피해자들의 무덤 속 신원미상 시신으로 발견될 이유가 없었기 때문이다. 애초에 과거 점령국에서 침략하지 않았다면 학살도 일어나지 않고 피해자들은 자기 인생을 살다가 수명이 다하면 세상을 떠나 가족의 손에 의해 정상적인 방식으로 안장되었을 것이다.

여기에 대하여 과거의 점령국은 4청사 부지에서 발굴된 유해가 '강제점령은 없었다는 사실을 증명한다'는 의견을 내놓았다. 현지 여러 민족과 침략자 혈통을 가진 사람들의 유해가 모두 점령국 군복을 입고 함께 묻혔다는 것은 점령국의 '아시아 선진화 노력'의 일환인 '기간시설 건설사업'에 현지 사람들이 '동참'했다는 의미라고 한때의 점령국은 주장했다. 그러므로 침략은 없었고 협조와 상생만 있었을 뿐인데 이제 와서 현지 정부가 침략군 유해의 신원도 밝히지 않고 본국으로 송환도 거부하는 것은 망인, 즉 침략군의 명예를 훼손하고 침략군 유가족의 인권을 심히 침해하는 행위라며 과거 점령군의 나라 정부는 '깊은 유감'을 표했다.

"정말로 유감스러운 일이네요."

수는 어처구니가 없어 그냥 이렇게만 대답했다.

한국전쟁 당시 북한군이 남한 쪽 국군 포로나 심지어 민간인 남성에게도 북한군 군복을 입혀 최전선에 세웠다는 이야기를 떠올렸다. 수는 부모와 조부모에게, 학교 선생님에게 그런 이야기를 들으며 자란 세대였다. 북한군은 유엔군을 맞닥뜨리거나 전세가 불리해지면 포로들에게 북한군 군복을 입혀 총알받이로 쓰고 시신은 그대로 버리고 갔다. 다시 말해 지금까지도 발굴되고 있는 전사자의 유해 중에 국군 참전용사인데 북한군에 포로로 잡혀 북한 군복을 입은 채 전사한 경우도 있을 수 있는 것이다.

전쟁은 복잡하다. 이야기하기 시작하면 끝이 없다.

"발굴된 시신 중에 한국인도 있었다고 합니다."

브리핑 담당 직원이 사무적으로 말했다. 수는 순간적으

로 말문이 막혔다.

브리핑 담당 직원이 잠시 수의 표정을 살피다 말했다.

"만약을 대비해서 알고 가시는 게 좋겠다고 생각했습니다. 유해발굴 업무에 참여하시는 것이 아니므로 이 정도만 말씀드리겠습니다."

브리핑이 끝난 뒤에 수는 2차 세계대전 당시 침략군으로 참전한 한국인에 대한 기록을 찾아보았다. '조선인 일본병', '조선계 일본 군인'은 2차 세계대전 당시 일본 육군이나 해군에 소속되어 군무원 등 군속으로 복무한 조선인을 가리키는 말이라고 했다. 일본제국은 식민지 사람인 조선인이 자국 군대에서 복무하는 것을 원칙적으로 허용하지 않았다. 사관학교에 입학하거나 장교로 임관하는 것은 더더욱 불가능했다. 그러나 대한제국 군인 출신으로 일본제국 군대에 전입하거나 일본 사관학교를 졸업하고 장교가 된 소수의 반역자들이 분명히 있었다.

1944년부터 일본제국이 징용을 실시했다. 전쟁 말기에 강제로 일본제국 군대에 끌려간 조선인들은 전쟁이 끝난 뒤에 일본군과 똑같이 전범으로 재판을 받았다. 미군과 연합군은 이들을 'BC급 전범'으로 분류해서 사형이나 무기징역 등의 처벌을 내렸다.

조선인이 침략자의 포로감시원으로 복무한 경우도 있었다. 수는 4청사 부지에서 발견된 한국인이 어떤 사연을 가지고 있을지 짐작해보았다. 그 사람은 자신이 원해서 멀리 낯선 땅에 찾아와 자신과 같은 피해자, 피지배자들을 감시하고 탄압하는 일을 했을까. 강제로 잡혀왔던 걸까. 가족이 있을까. 가족이 지금도 그 사람을 찾고 있을까. 살아남기 위해 일본군의 옷을 입고, 북한군의 옷을 입고, 이제 백년이 지난 뒤에 발견된, 일본군도 북한군도 아니었던 사람의 삶은 누가 알아주는 것일까.

그러나 수는 한국인 유해를 찾기 위해 이곳에 오지 않았다.

말은 아주 컸다. 수는 말에 대해 잘 알지 못했다. 말이 원래 저렇게 큰 동물인지, 이 나라 말이 유독 몸집이 큰지, 아니면 수의 앞에 나타난 말이 특히 커다란 모습인지 수는 잠시 생각했다.

어둠 속에서 말이 고갯짓을 했다. 수는 천천히 조심스럽게 다가갔다. 말이 소리 없이 앞장서서 걷기 시작했다. 수는 따라갔다. 작은 손전등 불빛이 앞을 비추었고 그 불빛이 닿으면 말의 붉은 다리가 푸르스름하고 투명하게 변했다. 그러면 손전등이 꺼졌다. 순간적으로 주위가 암흑으로 변했다. 수는 손전등을 탁탁 쳐서 다시 켰다. 붉은 말에게 불빛이 비추자마자 손전등이 꺼졌다.

붉은 말이 검은 어둠 속에서 수를 쳐다보았다. 수가 손전등을 켜지 않아도 사방이 벽과 천장으로 막힌 새까만 어둠 속에서 말은 따뜻하고 붉은 색으로 타오르고 있었다. 말이 다시 걷기 시작했다.

말은 바위를 향해 가고 있었다. 그래서 수는 말의 뒤를 따랐다.

옛날 옛날, 아주 먼 옛날에 세상이 아직 다 완성되지 않았을 때에는 누구나 이승과 저승과 천계를 자유롭게 오갈 수 있었다. 하늘에서 새들이 날아다니다 이승에 씨앗을 떨어뜨리면 풀과 나무가 자랐기 때문에 사람들은 이렇게 하늘의 새들에게 곡식을 얻어 농사를 지을 수 있었다. 저승에서 크고 무서운 짐승들이 이승으로 올라오면 사람들은 곡식과 열매를 주며 짐승들을 달랬다. 그렇게 사람들은 저승에서 올라온 큰 짐승을 길들여 가축으로 삼았다. 이승의 모든 것이 천계와 저승에서 내려오고 올라와 이루어졌으므로 사람은 곡식이 여물면 하늘에 바치고 동물이 죽으면 그 고기를 저승에 바쳤다. 그리고 사람이 죽으면 땅 밑의 통로를 통해 저승으로 내려가 그곳에 머물렀으나 죽음은 영원한 종말도

이별도 아니었다. 통로를 알기만 하면 누구나 저승으로 내려가 죽은 사람을 만나고 돌아올 수 있었기 때문이다.

그렇게 인간과 동식물이 평화롭게 지내는 날들이 오래 이어지자 사람들은 점차 욕심을 부리기 시작했다. 하늘에서 받은 것은 하늘대로 챙기고 저승에서 올라온 것은 또 그것대로 챙기기만 하고 곡식을 하늘에 바치거나 동물의 고기를 땅에 바치기를 꺼려하게 되었다. 그러자 하늘과 땅이 노하여 산이 솟아올라 고함을 질렀다. 성난 산꼭대기가 커다랗게 입을 벌리자 사나운 말들이 불길처럼 떼를 지어 달려 나왔다. 산의 입이 뱉어낸 야생마 무리는 마을로 내려와 숲과 밭을 짓밟고 민가에 뛰어들고 사람을 밟아 죽였다.

이때 한 용사가 나서서 거대한 바위를 밀어 산꼭대기에 벌어진 입을 막았다. 그러자 저승의 사나운 야생마 떼가 더 이상 이승으로 올라오지 않게 되었다. 이어서 용사는 마을에서 날뛰는 야생마 무리 앞을 막아섰다. 그러자 야생마 무리를 이끌던 붉은 말이 용사 앞에 무릎을 꿇었다. 용사는 붉은 말에 올라타고 산 위로 올라가 바위 앞에서 하늘에 치성을 드렸다. 마을 사람들이 곡식과 고기를 가지고 뒤를 따랐다. 용사는 마을 사람들이 가져온 곡식과 고기를 차려놓고 산의 입을 막은 바위 앞에서 붉은 말에 탄 채 사흘 밤낮으로

기도를 드렸다. 사흘째 밤에 마침내 하늘의 분노가 풀려서 산이 가라앉아 도로 평지가 되었다.

그러나 사람들은 용사가 바위를 치우면 또 다시 저승에서 사나운 짐승 떼가 뛰어나올 것을 걱정하였다. 그래서 용사는 저승 문을 막은 바위를 그대로 두었다. 이 때문에 이승과 저승의 통로가 막혀 죽은 사람은 돌아올 수 없고 산 사람은 죽은 사람을 다시 만날 수 없게 되었다. 용사는 마을 사람들의 첫 번째 왕이 되어 이후로 삼천 년간 다스리며 마을을 크고 강성한 나라로 만들었다. 그리고 죽을 때 바위 문을 열고 스스로 저승으로 내려가 모습을 감추었다. 용사가 사라진 뒤 아무도 바위를 들어올릴 수 없었다. 그래서 그 뒤로 왕이 죽으면 사람들은 저승 문을 막은 바위 주변에 묻고 바위만큼 크게 묘비를 세웠다. 용사가 살았던 마을에서 그 뒤에도 힘세고 용감한 자가 태어났으나 모두 저승 문을 막은 바위와 왕들의 묘비를 구분할 수 없어 바위를 찾지 못해 다시는 저승 문을 열지 못하였다. 그렇게 왕은 살아서는 나라를 다스리고 죽어서는 저승 문을 지키게 되었다.

수는 의뢰인들이 해준 이야기를 주의 깊게 들었다. 전설이라기보다 건국 신화에 가까운 이야기였다. 공항이 자리 잡은 지역 이름도, 공항 이름도 현지 언어로 '돌문'이라는 뜻이다. 공항 웹페이지는 돌이 단단하고 오래 가기 때문에 안정성과 안전함을 상징하고 문은 국가의 관문으로서 공항의 역할을 상징하기 때문에 '돌문'이라는 뜻의 이름이 붙었다고 공항 역사를 소개하고 있다. 공항이 자리 잡은 지역이 근대 이전까지 왕가의 무덤이 있었던 곳이라고 '역사' 페이지에 짧게 언급되어 있기는 했다. 그러나 그 이름의 '돌문'이 저승으로 가는 문이라는 사실까지는 공항 운영사가 굳이 설명하지 않았다. 수도 그 마음을 이해했다. 그저 발걸음을 재촉해서 붉은 말을 따라 걸었다. 새 공항 청사는 거대했고 천장이 기이할 만큼 높았다. 아직 문을 열지 않은 상점도, 개장하지 않은 편의시설도, 사용할 수 없는 화장실도 어둠 속에 잠겨 희미하게만 보였다. 상점 사이 천장 높은 곳에 전통 복장을 차려입은, 나이를 잘 알 수 없는 사람의 사진이 걸려 있었다. 수염 없는 갈색 피부가 매끈하고 아시아인 특유의 길고 날카로운 눈매와 대조적으로 입은 작고 온화해 보였다. 머리에는 화려한 무늬와 장식을 붙인 천을 사각형으로 재단해서 만든 전통적인 관을 썼고 황금빛 복잡하고 정교한 무늬가 있는 옷을 입고 있었다.

'이 나라 대통령이 저렇게 예쁘게 생긴 사람이었나?'

수는 그 사진을 흘끗 바라보며 스쳐 지나가듯 생각했다. 사진 따위를 오래 쳐다보고 있을 여유는 없었다. 부지런히 붉은 말을 쫓아가야 했다.

아무리 가도 검은 어둠은 가시지 않았다. 전광판이나 무빙워크가 있는 곳에서 희미한 불빛이 비쳐 나올 뿐이었다. 무빙워크 옆을 지나면서 수는 거리를 가늠해보았다. 한쪽 끝에서 다른 쪽 끝까지 걸은 뒤에 조금 사이를 두고 또 다른 무빙워크가 나왔다. 무빙워크가 시작되는 곳을 표시하는 기둥 두 개와 어둠침침하게 켜진 녹색 동그라미 표지가 보였다. 수는 그 옆을 열심히 걸었다. 무빙워크가 끝나는 곳에서 조금 떨어진 곳에 또 다른 무빙워크가 있었다. 시작되는 곳에 나지막한 쇠 기둥 두 개와 쇠 기둥에서 어둠침침하게 빛나는 녹색 동그라미가 보였다. 무빙워크가 끝나는 곳에서 조금 더 걸어가니 또 다른 무빙워크가 있었다. 그리고 그 뒤에 또 다음 무빙워크가 나왔다.

'혹시 지금 같은 자리를 빙빙 돌고 있는 건가?'

수는 덜컥 걱정이 되었다.

'귀신에 홀리면 그렇게 된다던데.'

수는 앞서 가는 붉은 말을, 그리고 옆쪽 천장에 걸린 대통령의 사진을 바라보았다. 대통령 사진은 아까 왼쪽 앞에 있었는데 이제는 왼쪽 뒤에 보였다.

'그러면 같은 자리를 도는 건 아니구나.'

수는 안심했다. 무빙워크를 지나 조금 더 걷다가 또 다른 무빙워크가 시작되는 곳에서 아직 문을 열지 않은, 불 꺼진 면세점 부스 위로 대통령 사진이 또 하나 걸려 있는 것이 보였다.

수는 뒤를 돌아보았다. 왼쪽 뒤 천장에 걸린 대통령 사진 보이지 않고 이제는 액자 윤곽 같은 것만 희미하게 보였다.

'이 나라 사람들은 대통령을 좋아하나? 하긴 저렇게 예쁘게 생겼으면 인기 좋을 만도 하지.'

수는 이렇게 생각했다. 그리고 무빙워크보다는 대통령 사진 액자를 기준으로 움직인 거리를 가늠하며 계속 어둠 속을 나아갔다.

붉은 말이 걸음을 멈추었다. 수도 걸음을 멈추었다.

붉은 말이 어둠 속으로 걸어 들어갔다. 그리고 사라져버렸다.

'어?'

수는 당황했다. 사방을 둘러보았다. 말은 없었다. 수는 서둘러 가방을 열고 손전등을 꺼냈다. 주위를 비추어 보았다.

그곳은 빈 공간이었다. 저 멀리 벽을 빙 둘러 희미하게 에스컬레이터와 화장실과 면세점이나 음식점으로 활용하려는 부스 문 등이 보였다. 한가운데는 넓게 텅 비어 있었다. 수는 주위를 둘러보았다. 천장 높은 곳에 역시나 전통 복장을 위엄 있게 차려입은 통치자의 모습이 수를 내려다보고 있었다.

수는 기다렸다.

아무 일도 일어나지 않았다.

수는 손전등으로 다시 한 번 사방을 비추어 보았다. 손전등을 위쪽으로 비추었을 때 수는 천장에 걸려 있던 대통령의 사진이 보이지 않는 것을 깨달았다.

말은 여전히 나타나지 않았다. 주위는 어둠뿐이었다. 수는 혼자였다.

수는 깊이 숨을 들이마셨다. 천천히 내쉬었다. 그리고 손전등을 껐다.

주위가 깜깜해졌다.

수는 주먹을 꽉 쥔 채 그 자리에 가만히 서 있었다.

발밑이 흔들렸다. 작은 진동이었다. 그러나 위와 아래가

구분되지 않는 어둠 속에서 흔들리자 수는 한 순간 중심을 잃었다. 그대로 주저앉았다.

앉은 채로 수는 미끄러지기 시작했다. 바닥이 솟아오르고 있었다.

수는 잡을 것을 찾아서 사방을 더듬었다. 바닥은 매끈했고 어디로 손을 뻗어도 잡히는 것은 하나도 없었다. 주저앉은 채로 앞쪽 바닥이 솟아오르자 수는 다리가 들려 누운 자세로 뒤로 밀리기 시작했다. 그리고 굴렀다. 구르다 뒤집혀 수는 엎드린 자세가 되었다. 솟아오르던 바닥이 이번에는 꺼지기 시작했다. 수는 머리부터 미끄러져 내려갔다.

수는 겁에 질려 팔다리를 휘저었다. 오른손에 뭔가 걸렸다. 수는 있는 힘을 다해 움켜쥐었다. 움켜쥐려 했다. 수의 오른손에는 엄지손가락밖에 없었다. 네 손가락 없는 손바닥은 어떤 것도 제대로 움켜쥘 수 없었다. 수는 몸이 다시 미끄러지는 것을 느꼈다. 고개를 들어 앞을 쳐다보았다. 검은 구멍이 입을 벌리고 있었다. 그곳은 저승이었다. 저승의 문이었다.

"안 돼!"

수는 소리쳤다.

"안 돼!"

그리고 수는 딸의 이름을 소리쳐 불렀다.

구멍에서 바위가 솟아올랐다. 저승의 문에서 거대한 돌이 하늘을 향해 뻗어 올라가기 시작했다. 수는 저승에서 솟아난 바위를 향해 속절없이 미끄러졌다. 전속력으로 미끄러져 바위에 부딪치는 순간 수는 양팔로 머리를 힘껏 감싸고 눈을 감았다.

수는 자신이 딱딱한 표면에 머리를 대고 있는 것을 느꼈다. 살그머니 눈을 떠보았다. 여전히 사방은 어두웠다. 머리 앞을 더듬어보았다. 바위는 거칠고 단단했다. 수는 고개를 들었다. 어둠 속에 솟아 있는 회색 바위를 보았다. 바위는 끝이 보이지 않을 만큼 높이 솟아 있었다.

'공항 천장이 이 정도로 높았던가? 천장을 뚫고 올라간 건가?'

수는 바위 앞에 웅크린 채 입을 멍하니 벌리고 한없이 솟은 바위를 넋 나간 듯 보고 있었다.

그러다 수는 문득 정신을 차렸다. 조심스럽게 바위에서 조금 물러났다. 그리고 무릎을 꿇고 앉은 자세 그대로 어둠 속에서 허리춤을 더듬어 가방을 찾았다. 가방은 밀리고 미끄러지면서 뒤쪽으로 돌아가긴 했지만 다행히 몸에 그대로 걸려 있었다.

수는 손짐작으로 어깨끈을 찾아내어 가방을 벗었다. 바위 앞에 내려놓았다. 그리고 가방을 열어 안에 준비해 온 주머니 두 개를 꺼냈다. 한쪽에는 쌀, 다른 한쪽에는 말린 고기가 들어 있었다. 수는 가방에서 휴대용 손전등을 꺼내 주머니에 넣었다. 빈 가방을 편편하게 펴서 바닥에 깔았다. 그 위에 쌀을 부은 뒤 원뿔 모양이 되도록 정성스럽게 모아서 쌓았다. 쌀 옆에 말린 고기 조각을 꺼내 놓았다. 그리고 무릎걸음으로 물러났다. 주머니에 넣은 휴대용 손전등이 걸리적거렸다. 바닥이 딱딱해서 무릎이 아팠다. 그러나 수는 어둠 속에서 일어설 용기가 나지 않았다.

"부탁드립니다."

수는 속삭이듯 말했다. 준비를 하지 않은 것은 아니었다. 의식의 언어를 배운다고 배워서 자기 나름대로는 열심히 외워 왔다. 그러나 밀리고 구르고 미끄러진 끝에 바위 앞에서 고개를 드니 아무 것도 기억나지 않았다.

"부탁드립니다."

수가 할 수 있는 말은 그저 이뿐이었다.

수는 고개를 숙였다.

"부탁드립니다."

다시 고개를 들었을 때 수는 눈앞에 선 거대한 붉은 말과 그 말을 타고 있는 사람을 분명히 보았다.

수는 자기도 모르게 뒷걸음했다. 뒷걸음하려 했다. 수는 아직도 무릎을 꿇은 채였다. 뒤로 물러나려다 수는 엉덩방아를 찧었다. 거대한 붉은 말이 고개를 숙였다. 붉은 말이 얼굴을 수의 얼굴에 가까이 대었다. 수의 눈을 들여다보았다.

"제발……."

수는 두 손을 모았다. 제발 어떻게 해달라는 것인지는 수 자신도 알 수 없었다. 수는 눈을 질끈 감았다. 죽고 싶지 않았다. 딸을 다시 보지 못하고 여기서 죽을 수는 없었다.

눈을 떴을 때는 바위도, 말도, 말을 타고 있던 사람도 모두 사라지고 없었다.

말총으로 만든 가방 위에 쏟아 놓았던 쌀은 새까맣게 타버렸다. 말린 고기는 수가 손가락을 대자 그대로 부스러져 먼지가 되어 흩어졌다. 수는 가방을 집어 들었다. 쌀과 고기가 놓여 있던 자리에 구멍이 하나씩 뻥 뚫려 있었다.

이거면 됐다. 이거라면 의뢰인들이 증거로 받아줄 것이다.

확실히 하기 위해 수는 주머니에서 손전등을 꺼내 주위를 비추어 보았다. 평범한 어둠 속에 문을 열지 않은 평범한 가게들과 평범한 에스컬레이터, 평범한 무빙워크, 평범한 화장실이 있었다. 천장은 높고 조명을 켜지 않아 짙은, 거의 검은색으로 보이는 회색 어둠 속에 잠겨 있었다. 지나치게 넓고 지나치게 매끈하고 깨끗하고 인위적인 공간일 뿐, 수를 제외하고 그곳에 살아 있는 것은 아무 것도 없었다.

수는 가방을 손에 꽉 쥐고 돌아섰다. 손전등을 들고 최대한 빨리, 처음에는 걷다가, 뛰다가, 숨이 차서 뛰는 건 포기했지만 그래도 할 수 있는 한 서둘러 걸음을 재촉하며 수는 개장 전의 4청사를 빠져나왔다.

"유령은 없습니다. 2차 세계대전 당시 혹은 그 이후 시대의 혼령은 발견하지 못했습니다."

수는 보고했다. 브리핑을 담당했던 직원이 처음으로 조금 안도한 얼굴이 되었다.

"확실한 거죠?"

직원이 물었다. 수는 예상하고 있었다. 그것은 모든 의뢰인이 작업 종료를 보고했을 때 언제나 묻는 말이었다. 그래서 수는 이럴 때 언제나 하는 답변을 내놓았다.

"100% 확실하다고는 말씀드릴 수 없습니다. 그래서 작업 후 서비스를 제공합니다. 그러나 대부분의 경우 말소리나 발소리가 들린다거나 물이 새거나 그림자가 보이는 현상은 과학적으로 설명이 가능합니다. 공항이 넓어서 소리가 울리거나, 자연광이 인공 조명과 엇갈려서 그림자처럼 보이기도 하고, 배관 문제나 냉각수 누수 혹은 냉난방 장치에 결로가 생기면 계속 같은 자리에서 물이 새게 됩니다. 이런 건 유지보수 팀에서 해결하실 수 있습니다."

브리핑을 하고 보고를 받는 업무를 담당하는 직원은 잠시 생각에 잠겼다. 그리고 망설이다 물었다.

"혹시…… 사고가 나진 않겠죠?"

"그것도 100퍼센트라고 장담할 수는 없죠."

수가 이전에 브리핑할 때 직원의 말투를 흉내 내어 건조하게 대답했다.

"이상 현상이 있을 경우에는 작업 후 서비스를 해드리니까 연락하시면 되고요. 그렇지만 미리 말씀드리는데 항공기 관리는 제가 담당하는 영역이 아닙니다. 그건 항공사에서 신경 쓰실 문제입니다."

"그렇죠."

직원이 고개를 끄덕였다. 그리고 마침내 말했다.

"수고하셨습니다. 작업비 잔금은 계약금과 같은 계좌로 송금해드리겠습니다."

수도 고개를 끄덕였다.

"감사합니다."

제주 구럼비는 해군기지 건설을 위해 폭파되었다. 미국 노스다코타주 스탠딩 록Standing Rock은 송유관 건설을 위해 훼손되었다. 구럼비 폭파를 막기 위해 펜스를 뜯고 들어갔던 활동가들은 체포되었다. 시우Sioux 원주민들이 스탠딩 록을 지키기 위해 모여 SNS에 자신의 위치를 포스팅하자 노스다코타주 경찰이 이 SNS 포스팅을 기반으로 시우 민족 활동가들을 체포하기 시작했다. 시우 활동가들은 SNS 사용자 전체에게 누구든 '노스다코타주 스탠딩 록'으로 위치 설정을 해달라고 호소했다. 그러나 긴 법정 싸움을 거쳐 석유회사가 이겼고 원주민들은 생명과 환경과 전통을 보호하기 위해 여전히 싸우고 있다.

침략자들은 역사와 문화만 파괴하는 것이 아니다. 그들의 파괴는 물리적이다. 언제나 생물이 죽는다. 공항을 건설하면 새들이 죽는다. 구럼비 해군기지 건설 때문에 물고기들이 죽었다.

군사기지와 포로수용소와 공항을 지으면서 인간과 함께 새와 나무와 붉은 야생마들이 수없이 죽어갔을 것이라고,

수는 그저 짐작만 할 뿐이다.

공항을 나와서 수는 지하철을 탔다. 가방을 돌려주러 가야 했다. 밖에 나가면 너무 덥고 습해서 택시를 잡으러 나갈 엄두가 나지 않았다. 반면에 지하철 안은 냉방이 잘 되어 조금 추울 정도였다. 시원하고 쾌적한 지하철 안에서 수는 의뢰인들에게 보고할 사안을 머릿속으로 되짚어보았다.

지하철에서 내려서 수는 역 통로와 연결된 쇼핑몰로 나갔다. 지하철역 통로는 길었다. 걸어가면서 수는 개장하지 않은 공항 청사 복도와 천장에서 자신을 내려다보던 얼굴을 생각했다. 역 출구에서 멀지 않은 곳에 토스트와 커피를 파는 작은 가게가 있었다. 의뢰인 중 한 명이 그곳에 먼저 와 있었다. 수는 주위를 살폈다. 긴장해서 저절로 빨라지려는 발걸음을 억지로 늦추었다.

들어가자마자 수는 계산대에 다가가 달고 진한 커피 한 잔을 주문했다. 그리고 최대한 아무렇지 않은 표정으로 몸을 돌려 의뢰인 앞에 가서 앉았다. 타 버린 구멍이 두 개 뚫린 작은 가방을 꺼내 의뢰인 앞에 펼쳐놓았다. 의뢰인은 물 흐르듯 자연스러운 동작으로 순식간에 테이블 위에서 가방을 치웠다. 그리고 수의 얼굴을 들여다보았다.

수는 스마트폰을 꺼냈다. 번역기 앱을 켰다.

- 바위가 있다.

수는 이렇게 썼다. 앱이 번역을 했다. 수는 스마트폰을 돌려 화면을 의뢰인에게 보여주었다. 의뢰인이 고개를 끄덕였다.

수는 다시 스마트폰 화면을 자기 쪽으로 돌렸다. 앱에 입력했다.

- 붉은 말이 있다.

그리고 수는 번역문을 의뢰인에게 보여주었다. 의뢰인이 다시 고개를 끄덕였다.

- 붉은 말을 탄 왕이 있다.

의뢰인은 수의 스마트폰 화면을 가만히 들여다보았다. 수를 쳐다보았다. 스마트폰 화면을 손가락으로 가리켰다. 수는 고개를 끄덕였다.

종업원이 커피를 가져왔다. 아마도 불렀는데 수가 못 알아들은 모양이었다. 수는 종업원에게 영어로 짧게 고맙다고 말했다. 종업원은 커피를 탁자 위에 놓고 가버렸다.

수가 다시 앞을 바라보았을 때 의뢰인은 사라지고 없었다.

수는 달고 진한 커피를 천천히 한 모금 마셨다. 크게 한숨을 내쉬었다.

그리고 수는 스마트폰을 열고 딸에게 메시지를 보냈다.

- 엄마 일 끝났다! 금방 갈게!

딸은 금세 답장을 보냈다.

- 엄마엄마 올 때 커피하고 사탕하고 특산품 과자 사다 줘

- 아이고 그래 우리 딸 먹고 싶은 거 다 사다 줄게

수는 답장을 보냈다. 그리고 웃었다.

《한밤의 시간표》

리미티드 스페셜 에디션 별책 부록

초판 1쇄 발행 2025년 10월 30일

지은이 정보라

펴낸이 박선경
기획·편집 이유나, 지혜빈, 민석홍, 연사랑
마케팅 박언경, 김경률
디자인 studio forb
제작 공간코퍼레이션
작가 전속에이전시 그린북 에이전시

펴낸곳 도서출판 갈매나무
출판등록 2006년 7월 27일 제395-2006-000092호
주소 경기도 고양시 일산동구 호수로 358-39 (백석동, 동문타워 I) 808호
전화 (031)967-5596
팩스 (031)967-5597
블로그 blog.naver.com/kevinmanse
이메일 kevinmanse@naver.com
트위터 twitter.com/purplerain_pub
인스타그램 www.instagram.com/purplerain.pub

ISBN 979-11-91842-94-4 (04810)
값 9,000원

'퍼플레인'은 도서출판 갈매나무의 장르소설 전문 브랜드입니다.
배본, 판매 등 관련 업무는 도서출판 갈매나무에서 관리합니다.